50

MAIN/CENTRALE

-Petit Ingénieur-

Petit Ingénieur

Son et lumière

Gründ

SON & LUMIERE

Adaptation française : Olivier Malthet

Secrétariat d'édition : Claire Collart

Texte original : Alícia Rodríguez

Ont également collaboré à ce volume :
Agustín González
Oriol Julian
Robert Julian
Inès Vilaseca

Conception graphique : Álex Guerrero
de Columna Comunicación

Maquette : Leonardo Ribero

Photographies : Nos & Soto, Corel

© 2004 Editions Gründ pour l'édition française
www. grund.fr
© 2002 Parramón Ediciones, S.A. (Barcelone)
sous le titre *Imagen & Sonido*

ISBN 2-7000-2794-9
Dépôt légal : janvier 2004
PAO : SPM (Studio Philippe Marchand)
Imprimé en Espagne

Loi n°49-956 du 16 juillet 1949 sur les publications destinées à la jeunesse

Sommaire

Introduction 4
Lumière 6
Un kaléidoscope. 8
Mon premier appareil photographique 10
Un périscope 12
Le zootrope 16
Une longue-vue 18
Les « disques de Newton » 20
Une lanterne magique 22
Son 26
Le stéthoscope. 28
Une petite flûte de Pan. 30
Mon premier tourne-disque 32
Une harpe 36
Une boîte à musique 38
La boîte à sons. 40
Un porte-voix 42
Orientations didactiques 46
Glossaire 48

POUR TOI

Dans ce volume de la collection du *Petit Ingénieur*, sont décrits étape par étape 14 exercices ou travaux pratiques que tu pourras réaliser toi-même, avec l'aide ponctuelle d'un adulte. Lis très attentivement chacune des étapes que tu dois suivre, tu verras que ce n'est pas difficile, et tu entreras progressivement dans le monde fascinant du son et de la lumière.

Dans la première partie de ce livre, nous te proposons de réaliser des travaux pratiques basés sur la lumière. En construisant un kaléidoscope, un périscope et une lanterne magique, tu étudieras la direction et la réflexion de la lumière ; un zootrope et un montage basé sur les disques de Newton te permettront de travailler la persistance rétinienne et d'observer les effets visuels ; un appareil photographique très simple t'aidera à comprendre comment se forme l'image dans une chambre noire ; et une longue-vue te donnera l'occasion de connaître le fonctionnement des lentilles.

Dans la seconde partie du livre, nous avons choisi différents travaux pratiques afin d'expérimenter le son, les façons de le produire et ses effets : un stéthoscope te familiarisera avec le phénomène de la percussion ; un porte-voix et un simple tourne-disque à l'amplification du son ; une harpe aux caisses de résonance ; et une petite flûte de Pan au fonctionnement des instruments à vent. Enfin, la boîte à sons et la boîte à musique te permettront d'observer comment se produisent les sons en fonction du matériau utilisé.

LE LIVRE

Tous les travaux pratiques suivent le même schéma de présentation : description de l'exercice, objectifs du travail, énumération des étapes à suivre pour le réaliser, une liste des matériaux ou des outils dont tu as besoin et, la réponse à une question *Savais-tu que… ?* qui enrichira tes connaissances. Le *Glossaire* expliquera certains termes que tu ne connais pas ou te renforcera dans tes connaissances.

Lumière

Pour la réalisation des exercices proposés, tu auras besoin de bois, de plaques de bois, de liège, de carton, de tubes en plastique et en méthacrylate, de tubes en caoutchouc, de feuilles de laiton et de tiges en fer, afin de construire les supports ou les revêtements. Tu devras aussi te servir de matériaux spécifiques afin d'obtenir la réflexion et la projection des images, tels que les lentilles plan-convexes et biconcaves, des sphères de méthacrylate et des miroirs. Dans certains cas, tu devras avoir recours à des petits moteurs, des poulies en laiton et divers matériaux électriques (câble, bouton-poussoir, piles, boîtier à piles, ampoules…) afin de pouvoir faire fonctionner ton montage.

Son

Dans les travaux pratiques sur le son, tu emploieras les matériaux suivants : plaques de bois, baguettes et tasseaux en bois, carton, caoutchouc mousse, morceaux de cuir, cannes de bambou, liège, tubes de caoutchouc, baguettes et feuilles de laiton, une petite grille en aluminium, du caoutchouc adhésif, des fils de nylon et de lin, du papier et du ruban adhésif d'aluminium.

Que dois-tu prendre en compte ?

Avant de commencer à travailler
- Demande à un adulte et/ou procure-toi tout le nécessaire pour réaliser le montage.
- Assure-toi que les outils avec lesquels tu vas travailler sont les mieux adaptés.
- Installe une grande table de travail et un éclairage satisfaisant.
- Mets un Tee-shirt ou un tablier approprié.

Pendant que tu travailles
- Essaye de travailler en ayant une position confortable, afin de moins te fatiguer.
- Ne laisse pas les outils dont tu es en train de te servir à la portée d'enfants plus petits que toi, et prends la précaution de refermer tous ceux qui peuvent faire mal (ciseaux, *cutter*, etc.).
- N'utilise pas de scie ou de *cutter* sans être surveillé par un adulte.
- Fais attention lorsque tu utilises des lentilles car elles se cassent ou se rayent facilement.

Lorsque tu as terminé ton travail
- Nettoie et rassemble tous les ustensiles que tu as utilisés, et range-les.
- Garde dans un lieu sûr ton ouvrage en cours, pour pouvoir le reprendre à n'importe quel moment.

LA COLLECTION

Trois volumes font partie de la collection : *Architecture & Constructions* ; *Électricité & Magnétisme* ; *Son & Lumière*.

La collection s'adresse à des enfants âgés d'au moins 9 ans, passionnés par les activités manuelles et de construction. Les adultes pourront y trouver aussi leur intérêt et cette collection est sans aucun doute un outil indispensable pour tous les professionnels de l'enseignement.

Tous les exercices que propose ce livre ont été réalisés par une classe-atelier, communément appelée de «technologie» et dont la mission est d'offrir toute une série de connaissances pratiques et théoriques dans les différentes spécialités de ce domaine.

Petit Ingénieur tente de montrer aux parents et aux enseignants le rôle culturel et instructif qu'exerce la Technologie. Cette collection aidera non seulement à juger de l'importance de l'environnement (ressources, espace, matériaux) dans les processus d'apprentissage des enfants mais aussi contribuera à l'acceptation et à la reconnaissance de la créativité, en tant que mise en œuvre d'un ensemble d'activités manuelles et constructives.

TRAVAUX PRATIQUES SUR LA LUMIERE

Qu'est-ce que la lumière ?

La lumière est une forme de radiation électromagnétique à laquelle l'œil est sensible. L'énergie lumineuse peut être émise par une source naturelle comme le soleil ou par un émetteur artificiel comme une lampe ou une source de rayons X… La vitesse à laquelle se propage la lumière dans le vide est d'environ 300 000 km/s. Dans l'air, le verre ou l'eau, la lumière voyage en ligne droite sous forme de rayons, qui se comportent comme des ondes, et lorsqu'ils rencontrent un objet, certains d'entre eux « rebondissent » vers nos yeux et nous permettent de voir cet objet.

Au XVIIe siècle, des expériences très importantes ont été menées sur l'étude de la lumière. On a découvert, en particulier, que lorsqu'un rayon lumineux traverse un morceau de verre triangulaire (prisme) et vient heurter un mur blanc, il apparaît une bande de couleurs ordonnées de la façon suivante : violet, bleu, vert, jaune, orange et rouge. Si l'on fait passer cette lumière à travers un second prisme, orienté dans la direction opposée, les couleurs se recomposent et on obtient une lumière blanche.

Qu'est-ce que la couleur ?

L'expérience du prisme prouve que la **couleur** est une propriété inhérente à la lumière et que la lumière blanche est un mélange de différentes couleurs.

Ce qui détermine la couleur d'une onde de lumière est la longueur qui sépare ses crêtes (longueur d'onde). La plus petite longueur visible mesure environ 4200 Angstroem et correspond à la couleur violette tandis que la plus grande atteint environ 7600 Angstroem et donne la couleur rouge. Le spectre visible à l'œil nu se situe entre ces deux longueurs d'onde. Les rayons ultraviolets et infrarouges ne peuvent être captés qu'avec du matériel photographique spécial.

RAYONS COSMIQUES	RAYONS GAMMA	RAYONS X	RAYONS ULTRAVIOLETS	LUMIÈRE VISIBLE	RAYONS INFRARROUGES	ONDES RADIO

Parmi les couleurs qui forment le spectre, le rouge (magenta), le jaune et le bleu (cyan) sont dites **primaires** ou **fondamentales** car on peut obtenir en les combinant n'importe quelle autre couleur.

Les objets, selon leur composition, absorbent seulement certaines longueurs d'onde et reflètent les autres. Par exemple, un objet de couleur rouge absorbe toutes les longueurs d'onde du spectre visible sauf celle qui correspond à la couleur rouge, qui est celle qui « rebondit » et que nous pouvons donc voir. Un objet blanc n'absorbe aucune longueur d'onde tandis qu'un objet de couleur noir les absorbe toutes et n'en reflète aucune et c'est pour cela que nous ne voyons aucune couleur.

TYPES D'IMAGES

La combinaison des rayons de lumière forme différentes figures, ce que nous appelons des **images**. Il existe deux catégories d'images :

• **Les images réelles**. Ce sont celles dont les rayons se concentrent (convergent) en traversant un instrument d'optique qui les projette. C'est le cas des images photographiques formées sur un écran.

• **Les images virtuelles**. Au lieu de se concentrer, leurs rayons divergent et elles ne peuvent donc pas être projetées. C'est le cas des images que nous voyons dans un miroir.

LES LENTILLES

Une lentille est un verre avec des faces concaves ou convexes, que l'on utilise en général dans les instruments d'optique afin d'agrandir ou de rétrécir une image.

Les lentilles simples se divisent en deux grands groupes :

• **Positives, convexes ou convergentes** (comprenant également les plan-convexes, les biconvexes et les convexes-concaves). Elles sont plus épaisses au centre qu'aux extrémités et la lumière qui les traverse converge vers un point situé derrière la lentille.

• **Négatives, concaves ou divergentes** (comprenant également les plan-concaves, les biconcaves et les concaves-convexes). Elles sont plus minces au centre qu'au bord et la lumière qui les traverse diverge.

LE PHÉNOMÈNE DE LA CHAMBRE NOIRE

L'explication la plus simple du phénomène de la chambre noire est la suivante : si l'on réalise un petit trou dans l'un des murs d'une pièce plongée dans l'obscurité, il est possible d'observer sur le mur opposé l'image reflétée des objets qui se trouvent à l'extérieur (face au trou), mais de façon inversée et plus petits que dans la réalité.

Au début, on se servait des chambres noires pour observer les éclipses du soleil. Plus tard, on a commencé à les appliquer au dessin et elles devinrent des instruments très utiles pour les peintres. Enfin, au XIXᵉ siècle, le chimiste français Niepce a découvert que si on les utilisait avec une matière sensible à la lumière, elles pouvaient enregistrer des images.

Les chambres noires et la photographie

L'évolution technologique n'a pas laissé indifférent le monde de la photographie, qui a vu ses chambres noires se perfectionner, le processus de développement s'améliorer et s'industrialiser et les nouvelles méthodes numériques remplacer progressivement les systèmes traditionnels.

Même si les appareils photographiques d'aujourd'hui ressemblent peu aux premiers, car ils sont plus petits et ont incorporé une technologie plus sophistiquée, leurs éléments fondamentaux sont semblables.

Parties fondamentales d'un appareil photographique

• **Boîtier**. C'est la boîte ou la structure, à l'intérieur de laquelle on place le négatif.

• **Viseur**. Il permet d'observer la scène que l'on va photographier.

• **Objectif**. C'est l'ensemble des lentilles qui forment l'optique. Dans une chambre sténopéique, c'est le petit trou par où entre la lumière.

• **Obturateur**. C'est le mécanisme qui permet l'entrée de la lumière à l'intérieur de la chambre.

• **Diaphragme**. Dans les appareils photographiques, on l'utilise pour régler la quantité de lumière qui entre à l'intérieur de la chambre durant le temps d'ouverture. Dans les appareils sténopéiques, c'est le diamètre du trou par où entre la lumière.

• **Distance focale**. C'est la distance qu'il y a entre le centre optique de l'objectif et le plan focal, là où se forme l'image. Dans une chambre sténopéique, c'est la distance entre le trou et le mur opposé.

• **Angle de champs**. Il est déterminé par la distance focale et permet d'obtenir différents types d'image :

  • Grand angulaire. Quand la distance focale de la chambre est identique ou plus courte que le plus petit côté du négatif.

  • Normal. Quand la distance focale est identique à la diagonale du négatif.

  • Télé. Quand la distance focale est identique ou plus grande que le double de la diagonale du négatif.

Un kaléidoscope

Construis un kaléidoscope simple au moyen d'un tube de méthacrylate, trois miroirs, une boule transparente et quelques matériaux supplémentaires. En tournant le tube, tu verras comme les images se décomposent sous des formes très diverses et créent d'incroyables figures.

Objectifs

- Étudier la direction et la réflexion de la lumière.
- Faire l'expérience du principe physique de la réflexion.
- Observer l'apparition de multiples réflexions sur des surfaces réfléchissantes mises face à face.

• Tube de méthacrylate de 22 cm de long x 4 cm de diamètre extérieur
• Fine feuille de laiton de 21,5 cm de long x 12 cm de large
• Trois miroirs de 20 cm de long x 2,8 cm de large, et 3 mm d'épaisseur
• Sphère de méthacrylate transparente de 3 cm de diamètre
• Cercle de méthacrylate de 3,5 cm de diamètre
• Tube rond en caoutchouc noir de 23 cm de long x 0,6 cm de diamètre extérieur, et 0,4 cm de diamètre intérieur.
• Colle liquide (spéciale pour plastiques)

1 Enroule la feuille de laiton selon une forme cylindrique et introduis-la à l'intérieur du tube de méthacrylate.

2 Introduis le cercle de méthacrylate dans une des extrémités du tube, et place-le sur le bord de la feuille de laiton.

Coupe le tube de caoutchouc en deux morceaux de 11,5 cm de long, et colle l'un d'eux sur l'extrémité où tu as placé le cercle.

3

4 À l'autre extrémité du tube, introduis les trois miroirs face à face, de façon à ce qu'ils forment un prisme triangulaire.

5 Ajuste et colle le morceau restant de caoutchouc à l'autre extrémité du tube de méthacrylate.

6 Pour terminer, tu as seulement à placer la sphère de méthacrylate sur le dernier morceau de caoutchouc que tu as ajusté et à la fixer avec quatre petits points de colle liquide.

Regarde autour de toi avec le kaléidoscope et tu verras comme tout se multiplie à l'infini en dévoilant des formes que tu n'aurais jamais imaginées.

Savais-tu que...

le mot kaléidoscope provient de l'union de trois mots d'origine grecque ? *Kal* signifie « beau », *eidos* « formes » et *cope* « observer » ; c'est donc un instrument pour observer de belles formes. En 1816, le physicien britannique David Brewster a breveté cette invention qui est devenue très populaire dans la bourgeoisie du XIXᵉ siècle.

Mon premier appare
photographique

Si tu construis cette chambre noire, tu verras comment se forme une image inversée à l'intérieur d'un appareil photographique où convergent les rayons de lumière après être passés par la lentille.

Objectifs

● Connaître les propriétés et les caractéristiques de la lumière, en tant qu'élément fondamental de la photographie.

● Décrire les parties d'un appareil photographique et les comparer à la chambre noire.

● Comprendre le processus par lequel on obtient une photographie.

- *Carton gris de 60,5 cm de long x 23,5 cm de large, et 3 mm d'épaisseur*
- *Carton gris de 16 cm de long x 11 cm de large, et 1,5 mm d'épaisseur*
- *Tube en carton de 3 cm de long x 5 cm de diamètre*
- *Papier calque de 12,8 cm de long x 8 cm de large*
- *Lentille biconvexe de 7 D et 5 cm de diamètre*
- *Peintures bleue, vert citron et noire*
- *Pinceaux fin et gros*
- *Scie à découper*
- *Ciseaux*
- *Colle*
- *Règle*
- *Crayon*

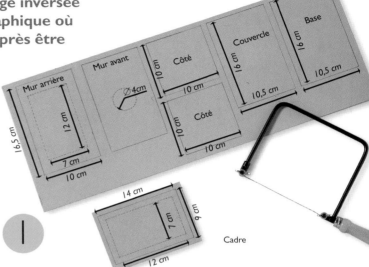

1 Dessine et découpe sur les deux cartons toutes les pièces qui formeront la boîte de ton appareil photographique.

2 Dessine un cercle de 7,5 cm de diamètre sur le mur avant, centré sur le mur que tu as coupé. Peins-le en noir, ainsi que le tube en carton et une face de chaque pièce.

3 Construis la boîte avec toutes ses pièces de façon que les faces peintes en noir soient à l'intérieur.

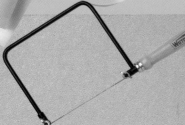

Décore la boîte en peignant
sa moitié supérieure en bleu,
et l'inférieure en vert citron.

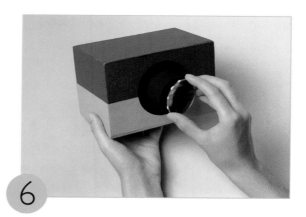

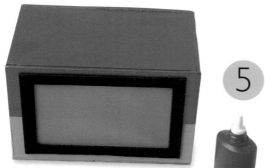

Sur la face non peinte du cadre, colle le papier
calque et colle cette structure au centre
de la paroi arrière de la boîte.

Sur la paroi avant, fixe le tube
en carton qui servira d'objectif
et colle à son extrémité la lentille,
qui courbera les rayons et les fera
converger sur le papier calque.

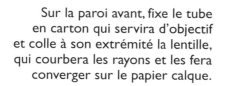

Si tu mets la boîte
dans la pénombre
et que tu l'orientes
vers un objet bien
éclairé, tu obtiendras
une image inversée,
mais très nette.

Savais-tu que...

la première image obtenue d'une chambre noire
sténopéique semble être un dessin de l'astronome
Frisius ? En 1544, cet astronome s'est servi
dans une pièce sombre d'un sténopé pour
étudier une éclipse de soleil.

Un périscope

Un périscope est un appareil utilisé pour voir depuis un lieu caché ou immergé, comme par exemple les sous-marins. Normalement, les périscopes sont formés d'un tube métallique pourvu d'un objectif et de miroirs, mais celui que nous te proposons de fabriquer sera carré, en carton et n'aura que des miroirs.

Objectifs

- Expérimenter au moyen d'un montage simple la façon dont doivent être placés deux miroirs afin qu'une image dont on ne voit pas directement l'objet arrive jusqu'à nos yeux.
- S'intéresser à la perception de la réalité et au moyen de la reproduire en images.
- Constater qu'en changeant le point de vue et les mouvements de l'observateur les plans visuels sont différents.

- *Carton gris de 55 cm de long x 35 cm de large, et 3 mm d'épaisseur*
- *Carton gris de 30 cm de long x 15 cm de large, et 1,5 mm d'épaisseur*
- *Fine lamelle de plastique rigide transparent de 13 cm de long x 6 cm de large*
- *Deux miroirs carrés de 8 cm de côté et 3 mm d'épaisseur*
- *Deux tubes en carton de 15 cm de long x 1,5 cm de diamètre extérieur*
- *Tube en plastique de 6 cm de long x 0,5 cm de diamètre extérieur*
- *Bourrelet de caoutchouc mousse auto-adhésif de 1 m de long x 2 cm de large, et 3 mm d'épaisseur*
- *Peintures marron et gris argenté*
- *Pinceaux fin et gros*
- *Scie à découper*
- *Vrille*
- *Ciseaux*
- *Ruban isolant noir*
- *Colle*
- *Crayon*
- *Règle*

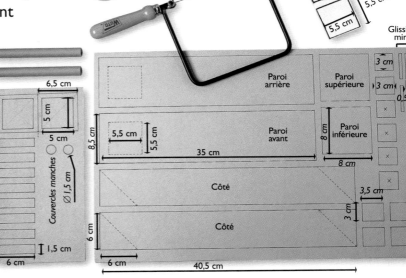

Dessine sur les cartons les pièces de ton périscope, et sur le plastique rigide les « verres » des viseurs. Découpe le tout et effectue les trous indiqués. Peins les tubes en carton et les pièces des viseurs en gris argenté, et tout le reste en marron sur chaque face, et décore l'une d'elles avec des motifs gris.

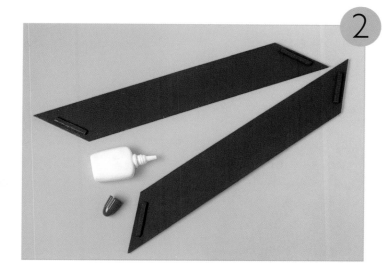

Sur la face peinte uniquement
en marron des côtés du périscope,
colle au centre les supports des miroirs
à 0,5 cm de chaque extrémité, comme
tu peux le voir sur la photographie.

Colle sur les côtés les parois avant
et arrière du périscope, en faisant
attention à ce qu'un des viseurs
soit à la partie supérieure
et l'autre à la partie inférieure.

Colle au-dessus des supports
supérieurs un des miroirs et encastre
la paroi supérieure afin de fermer
la boîte par cette extrémité. Répète
la même opération à l'autre extrémité,
en retournant le montage afin
de pouvoir placer le miroir
sur les supports inférieurs
et de fermer la boîte.

Pour construire les petits cadres des viseurs, colle au revers de chaque cadre un carré de plastique rigide et les quatre côtés, sur lesquels tu fixeras le boîtier du périscope.

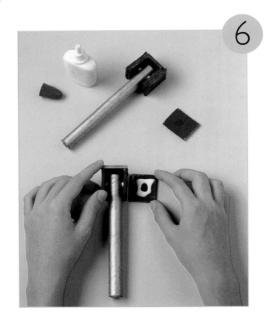

Prépare les supports des poignées : coupe le tube en plastique à la moitié, introduis chaque morceau par le trou d'un tube en carton et emboîte-le entre deux des pièces de support qui ont un trou. Recouvre cette structure en forme de U avec trois pièces de support non percé, comme tu le vois sur la photographie.

Fixe un support sur chaque côté du périscope, à 6 cm de sa partie inférieure. À l'extrémité de chaque poignée, colle un petit rond de carton formant bouchon.

8

Termine la décoration des poignées en enroulant un bourrelet de caoutchouc mousse auto-adhésif autour de chaque tube et en recouvrant les extrémités de deux petits cercles du même matériau. Tu peux utiliser un ruban isolant noir afin de mieux fixer le caoutchouc.

Tu peux maintenant observer des objets que ta taille ou ta position ne te permet pas de voir habituellement !

Savais-tu que...

le périscope a été inventé à la fin du XIXᵉ siècle pour permettre aux équipages des sous-marins de voir la surface sans être vus ? Les périscopes actuels sont dotés d'un système de lentilles perfectionné qui permet d'agrandir les images et d'avoir un champ de vision pouvant atteindre 360°.

Le zootrope

Le zootrope est un appareil qui cherche à créer une illusion d'optique par la persistance rétinienne. Son fonctionnement est très simple : il suffit de tourner le tambour et d'observer par les fentes les figures successives. Avec la photographie et la projection, il représente les origines du cinéma actuel.

Objectifs

- Étudier le mouvement à travers des images fixes et récurrentes.
- Apprécier les diverses possibilités qu'apportent les moyens visuels : dessin, photographie, cinéma, télévision…
- Réaliser un montage basé sur la persistance rétinienne ou visuelle.

- Plaque de contreplaqué de 40 cm de long x 20 cm de large, et 3 mm d'épaisseur
- Pan de liège de 40 cm de long x 20 cm de large, et 30 mm d'épaisseur
- Bande de carton de 250 g/m² de 80 cm de long x 15 cm de large
- Fin placage en cerisier de 70 cm de long x 5 cm de large
- Tige en fer de 14 cm de long x 0,4 cm de diamètre
- Tube en plastique de 7 cm de long x 0,6 cm de diamètre extérieur
- Tube en carton de 7 cm de long x 1,5 cm de diamètre extérieur
- Bande de papier parcheminé de 65 cm de long x 4 cm de large
- Scie à découper
- Vrille
- Tournevis cruciforme (n° 6)
- Marteau
- Ciseaux
- Ruban adhésif transparent
- Colle blanche
- Gomme
- Feutre noir à pointe fine
- Crayon
- Règle
- Peintures bleue et cuivrée
- Pinceaux fin et gros

Dessine et coupe sur le contreplaqué et le liège les bases du zootrope et de son tambour, et fais les trous indiqués. Découpe dans le placage deux rectangles de 69 cm de long x 1 cm de large, et 15 de 13 cm de long x 1 cm de large. Découpe sur le carton les fentes du tambour.

Colle les cercles de contreplaqué sur ceux en liège et peins-les avec la peinture cuivrée, de même que le tube en carton.

2

③

Divise le tube en plastique en deux morceaux de 3,5 cm de long et ajuste-les dans les trous des deux bases. Introduis la tige dans le trou de la base du zootrope et le tube en carton dans celle-ci.

④

Pour la décoration du tambour, peins la bande de carton en bleu et, une fois qu'elle est sèche, colle les bandes de placage.

⑤

Colle le carton autour du périmètre de la base du tambour et colle ses extrémités. Adapte le tambour sur la tige en fer avec le tube que tu as fixé lors de l'étape 3.

Illumine l'intérieur du tambour, fais-le tourner... tu verras s'animer la figure que tu as dessinée !

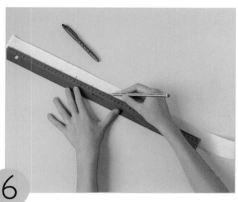

⑥

Divise en 15 parties le parchemin, et réalise un dessin évolutif sur chacune. Efface le crayon, fixe les extrémités de la bande et place-la à l'intérieur du tambour.

Savais-tu que...

le zootrope fut breveté en 1834 par William Homer ? Quelques années plus tard, en 1870, Émile Reynaud conçut le praxinoscope, qui était un zootrope perfectionné, avec des miroirs, capable de projeter les images en série. Le même Reynaud construisit une variante de celui-ci appelé Théâtre optique, qui annonce le cinématographe.

Une longue-vue

Un télescope est un appareil optique qui permet de voir des objets très éloignés et que l'on utilise en astronomie pour grossir les images célestes. La longue-vue que nous te proposons de construire ici est connue sous le nom de « lunette de Galilée ». Elle est composé d'une lentille plan-convexe et d'une autre biconcave.

Objectifs

- Étudier les lentilles et nommer les divers appareils optiques qui en comportent.
- Analyser la structure d'une simple longue-vue, et la comparer à un télescope astronomique.
- Découvrir la relation entre Optique et Astronomie.
- Apprécier l'importance des observations astronomiques.

- Bande de carton mince de 250 g/m² de 1 m de long x 25 cm de large
- 35 lattes de balsa de 25 cm de long x 1,7 cm de large, et 2 mm d'épaisseur
- Fine feuille de laiton de 27 cm de long x 8 cm de large
- Plaque de contreplaqué carrée de 5 cm de côté et 3 mm d'épaisseur
- Deux lentilles : une plan-convexe de 2,5 D et 4,3 cm de diamètre, et une autre biconcave de 20 D et 2,5 cm de diamètre
- Tube de caoutchouc rond, de couleur noire, de 17,5 cm de long x 0,6 cm de diamètre extérieur et 0,4 cm de diamètre intérieur
- Deux tubes en plastique (moules) : un de 3 cm et un autre de 4 cm de diamètre extérieur
- Scie à découper
- Ciseaux
- Colle
- Ruban adhésif à deux faces
- Crayon
- Règle
- Vernis

1 Dessine et coupe sur la bande de carton, la plaque de contreplaqué et la feuille de laiton, toutes les pièces qui formeront le télescope.

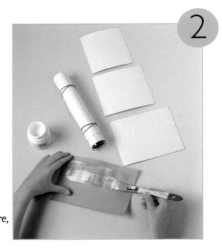

2 Construis un tube de forme conique, en enroulant sur le tube en plastique de 4 cm de diamètre la pièce de carton mince n° 1. Colle successivement les pièces l'une sur l'autre. Tu peux utiliser des élastiques pour maintenir les pièces pendant qu'elles sèchent.

Extrais le tube en plastique et recouvre l'extérieur du tube en carton de 19 lattes en bois. Colle le cercle de contreplaqué sur l'extrémité la plus petite.

3

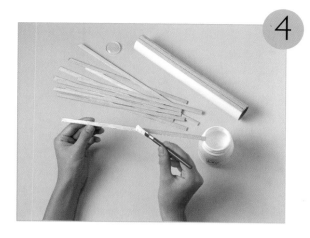

4

Monte le petit tube du télescope en enroulant la pièce en carton restant autour d'un tube en plastique de 3 cm de diamètre. Extrais ce tube et recouvre le carton de 14 lattes. Lorsqu'elles sont sèches, colle la lentille biconcave à une extrémité.

Pour faire les butées intérieures du télescope, coupe les deux lattes restantes en quatre morceaux : deux de 20 cm de long et deux de 5 cm. Colle les premières à l'intérieur du grand tube, à l'extrémité la plus étroite, et les secondes à l'extrémité la plus large, en forme de croix.

5

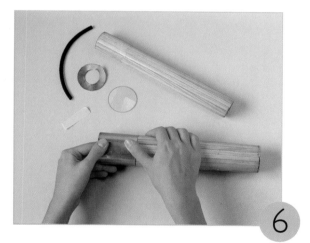

6

Après avoir verni le bois, enroule au moyen d'un ruban adhésif double face le rectangle en laiton à l'extrémité large du tube conique, en laissant dépasser 2 mm, et place la lentille plan-convexe et le disque de laiton. Ajuste le bourrelet en caoutchouc.

Place le petit tube dans le grand et... amuse-toi à voir de près des choses qui sont très loin !

Savais-tu que...

les lentilles et les longues-vues étaient déjà connues vers le milieu du XIVe siècle ? Néanmoins, ce n'est qu'en 1608 que le scientifique hollandais Hans Lippershey construisit le premier télescope. Deux années plus tard, Galilée qui appliqua cet instrument à l'astronomie fut le premier à observer les cratères de la lune et les satellites les plus grands de Jupiter.

Les « disques de Newton »

Savais-tu que la couleur est l'impression que produisent les rayons lumineux sur la rétine de l'œil lorsqu'ils sont réfléchis par un corps? Fabrique un instrument qui te permettra d'étudier les mélanges de couleur et les effets visuels.

Objectifs

- Apprendre la théorie fondamentale des couleurs.
- Faire la différence entre les couleurs primaires et les secondaires.
- Expérimenter les effets visuels que produisent les différentes couleurs et formes en mouvement.

- Plaque de contreplaqué carrée de 35 cm de côté et 3 mm d'épaisseur
- Plaque de liège carrée de 20 cm de côté et 30 mm d'épaisseur
- Carton gris de 46 cm de long x 27 cm de large, et 1,5 mm d'épaisseur
- Bande de liège de 10 cm de long x 3 cm de large, et 5 mm d'épaisseur
- Tube en méthacrylate de 20 cm de long x 1 cm de diamètre extérieur
- Douze carrés de Velcro auto-adhésifs
- Câble électrique bipolaire transparent de haut-parleur de 35 cm de long
- Boîtier à trois piles
- Trois piles de 1,5 V
- Petit moteur
- Poulie en laiton de 0,6 cm de diamètre extérieur et ajustable à un axe de 2 mm
- Compas
- Scie à découper
- Vrille
- Ciseaux
- Pince à dénuder
- Colle blanche
- Crayon
- Règle
- Règle de circonférences
- Peintures de différentes couleurs
- Pinceaux fin et gros
- Bouton-poussoir

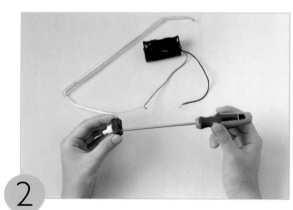

1 Dessine et découpe sur le contreplaqué et le liège les pièces de la structure, et sur le carton les disques. Perce les trous indiqués sur les pièces et pratique une encoche sur la partie inférieure du tube en méthacrylate. Peins certaines pièces en gris clair et les autres en gris foncé.

2 Insère le câble bipolaire dans le tube en méthacrylate, fixe dans l'encoche une de ses extrémités. Connecte le câble argenté à une borne du bouton-poussoir et le doré au câble rouge du boîtier. Son câble noir doit être relié à l'autre borne du bouton-poussoir.

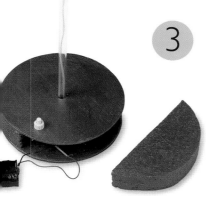

3 Sur le cercle supérieur de la base, fixe le bouton-poussoir et passe par son trou central le tube en méthacrylate. Colle celui-ci au cercle inférieur du côté de l'encoche et colle entre les deux cercles un segment de liège ; ne colle pas l'autre afin de pouvoir changer la pile.

4

Fixe le moteur sur son support, fais un trou au centre de la bande de liège et colle-la, comme tu peux le voir sur la photographie. Introduis cette pièce sur le tube en méthacrylate et connecte les câbles au moteur : l'argenté à un terminal et le doré à l'autre.

5 Colle le couvercle du moteur, monte la poulie en laiton sur son axe et fixe sur celle-ci le support des disques.

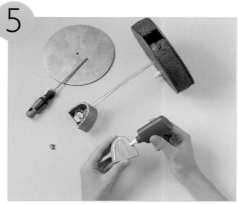

6 Peins les cercles de carton : un avec une spirale, un deuxième avec sept couleurs différentes, et le troisième comme tu le vois sur la photo. Pour maintenir les disques sur leur support, colle sur celui-ci trois carrés de Velcro auto-adhésif et trois sur le revers de chaque cercle en carton.

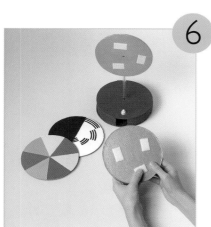

Place un des disques, mets en marche le montage et observe les couleurs et les formes !

Savais-tu que…

Newton fut le premier à observer que la lumière blanche se décomposait en six couleurs (rouge, jaune, vert, orange, bleu et violet) lorsqu'elle traversait un prisme en verre ? À partir de cette expérience, le physicien anglais développa la théorie des couleurs.

Une lanterne magique

Construis ton propre projecteur de corps opaques avec lequel tu pourras refléter des images sur un écran. Son fonctionnement est simple : lorsque les ampoules s'allument, l'image s'éclaire ; le miroir la renvoie vers une lentille qui la projette sur un écran (ou sur n'importe quelle surface plane et claire).

Objectifs

- Étudier les différents types de lentille et leurs effets optiques et/ou visuels.
- Comparer la manière dont se forme, se projette et se fixe une image dans les divers types de chambres noires ou de projecteurs.

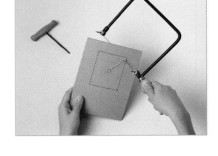

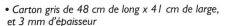

- Carton gris de 48 cm de long x 41 cm de large, et 3 mm d'épaisseur
- Carton gris de 19 cm de long x 16 cm de large, et 1,5 mm d'épaisseur
- Tube en carton de 5 cm de long x 5 cm de diamètre extérieur
- Miroir de 16,5 cm de long x 14 cm de large, et 3 mm d'épaisseur
- Fine feuille de laiton de 10 cm de long x 9,5 cm de large
- Petit bouton-poussoir
- Câble électrique souple
- Deux contacts pressions pour piles de 9V avec câble bipolaire de 16 cm de long
- Deux piles de 9 V
- Trois ampoules à vis
- Trois douilles à vis métallique
- Une lentille biconvexe de 7 D et 5 cm de diamètre
- Bourrelet de caoutchouc rond et noir de 16 cm de long x 0,6 cm de diamètre extérieur et 0,4 cm de diamètre intérieur
- Scie à découper
- Vrille
- Ciseaux
- Pince à dénuder
- Colle blanche
- Crayon
- Règle
- Feutre noir
- Peintures gris argenté, grise et bleu foncé métallisé, et doré clair
- Pinceaux fin et gros

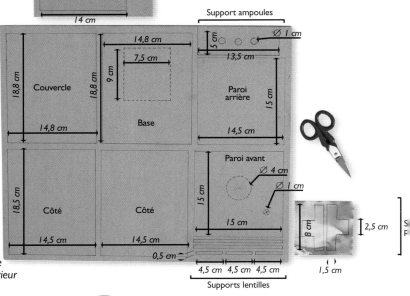

1 Dessine sur les deux plaques de carton gris les pièces qui formeront le projecteur, et sur la feuille de laiton les supports pour les piles. Découpe le tout et perce les trous indiqués. Découpe aussi la fenêtre de la base (où tu placeras les images que tu voudras projeter), en utilisant une vrille et une scie.

2

Peins une face des pièces de carton, l'intérieur du tube et les lattes en gris argenté, et décore l'autre face (extérieure) à ton idée. Une fois que les côtés sont secs, colle sur la face grise (intérieure) les supports du miroir inclinés à 45 degrés.

3

Monte la boîte du projecteur avec sa base, ses côtés et sa paroi arrière, de façon que les faces grises soient à l'intérieur. Place le miroir sur ses supports, colle le couvercle et laisse de côté pour l'instant la paroi avant.

4

Coupe le bourrelet de caoutchouc en deux morceaux de 10,5 cm de long et deux de 9,5 cm. À chaque extrémité, réalise une petite encoche pour qu'ils s'ajustent aux bords de la fenêtre de la base.

5

Forme un carré avec les lattes de carton de 14 cm de long x 1 cm de large et colle par-dessus celle de 2 cm de large, comme tu peux le voir sur la photographie. Colle cette structure sur la face argentée de la paroi avant, en laissant une marge de 0,5 cm.

6

Pour l'objectif, peins en noir l'extérieur du tube en carton et colle à l'intérieur les supports de la lentille. Une fois les supports secs, place sur ceux-ci la lentille, ajuste à une extrémité un morceau de caoutchouc rond et colle l'autre extrémité sur la pièce avant, de façon à ce qu'elle coïncide avec le trou central.

7

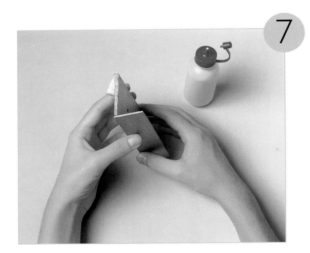

Pour le support des petites ampoules, colle deux triangles en carton à une extrémité de la latte avec les trois trous, et à l'autre extrémité fixe en angle droit la latte de 13,5 cm de long x 3 cm de large.

Connecte chaque extrémité des trois câbles de 15 cm à chaque douille, relie les autres extrémités entre elles et fixe cette connexion au bouton-poussoir. Un câble de 14 cm doit aller de la première douille à la troisième, et un de 6 cm de la troisième à la deuxième.

8

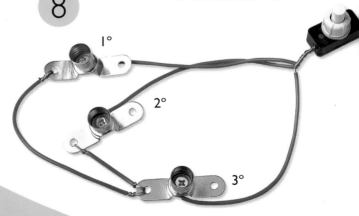

9

Ensuite, connecte les câbles rouges
des contacts pressions au bouton-
poussoir, et leurs câbles noirs
à la première douille.

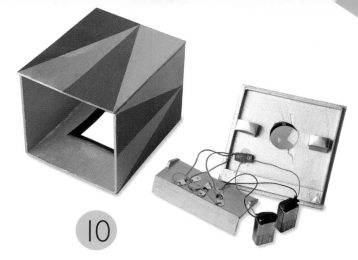

10

Colle les supports en laiton des piles à la paroi avant
du projecteur, comme tu peux le voir sur la photographie.
Insère les piles, fixe les douilles à leur support,
visse les petites ampoules, place le bouton-poussoir
dans le petit trou et installe la structure dans la boîte.

Vérifie que la paroi avant
reste fixe et place l'image
que tu veux projeter
contre la fenêtre du fond.
Éteins les lumières,
connecte le bouton-
poussoir et… laisse-toi
enchanter par tes
projections !

Savais-tu que…

les projecteurs sont nés de la chambre noire ? Au XVIIe siècle, l'Allemand
Kircher imagina que si la chambre noire pouvait projeter une image vers
l'intérieur, elle pourrait également la projeter vers l'extérieur. Et il
construisit la « lanterne magique », le premier projecteur de l'histoire.

TRAVAUX PRATIQUES SUR LE SON

LE SON ET LES ONDES SONORES

Le son est une sensation perçue à travers l'organe de l'ouïe, qui se produit lorsqu'un corps vibre (nos cordes vocales, les cordes d'un instrument, la vibration d'un objet lorsqu'il se heurte contre un autre...). Lorsqu'une vibration se produit, elle génère des ondes sonores qui arrivent jusqu'au tympan. Le son sera plus ou moins fort en fonction de l'intensité de la vibration.

Les ondes sonores se propagent dans l'air, l'eau ou les corps solides. Elles ne le peuvent pas dans le vide : dans l'espace, il n'y a pas d'air, et par conséquent pas de son non plus.

De même que la lumière, le son a aussi une longueur d'onde. Sa fréquence est le nombre d'ondes qui se produisent par seconde, et en général la gamme audible pour l'être humain se trouve entre 16 et 16 000 hertz (cycles/seconde). Ces valeurs varient beaucoup d'une personne à l'autre, mais elles peuvent être considérées comme des grandeurs limites. Les sons dont les fréquences dépassent la limite supérieure de l'audition humaine se nomment «ultrasons», et ceux qui se trouvent en-dessous de la limite inférieur, «infrasons».

Vitesse de propagation du son

Les ondes sonores se déplacent à une vitesse différente selon le milieu qu'elles traversent :

- **Dans l'air.** Dans un air sec, au niveau de la mer, le son se propage à 334 m/s. Moins l'air est dense (températures et altitudes élevées), plus grande est la vitesse de propagation des ondes sonores.

- **Dans l'eau.** La vitesse de propagation est beaucoup plus grande que dans l'air : 1 540 m/s.

- **Dans les corps solides.** Cela dépend de la densité du matériau que le son traverse. Dans des corps très denses, comme le métal ou le verre, le son peut se propager quinze fois plus rapidement que dans l'air.

QUALITES DU SON

- **Intensité.** Elle dépend de l'amplitude des vibrations sonores et détermine si un son est fort ou faible. Plus l'énergie de vibration est grande, plus le son est intense. Ainsi, lorsque nous réduisons le volume d'un son, son intensité diminue également. Elle se mesure en décibels.
- **Tonalité (ou hauteur).** Elle dépend de la fréquence (nombre d'ondes qui se produisent par seconde) et détermine si un son est grave ou aigu. Les sons graves correspondent aux basses fréquences et les aigus aux hautes fréquences.
- **Timbre.** Il nous permet de distinguer les sons de différents instruments émettant la même note. Par exemple, un violon et une trompette peuvent émettre une même note (hauteur du son) mais avoir des intensités et des caractéristiques différentes.
- **Sonorité.** C'est la force et la qualité avec lesquelles un son est perçu. Elle est déterminée par l'extension du mouvement d'une onde sonore et de sa fréquence.

PHENOMENES ET EFFETS SONORES

- **Diffraction.** Processus par lequel les ondes accoustiques se dédoublent autour d'un obstacle. Par exemple, la manière dont elles contournent un angle ou un petit obstacle.
- **Réfraction.** Se produit lorsque les ondes sonores se déplacent d'un milieu à un autre avec des intensités différentes.
- **Réverbération.** Se produit quand les ondes sonores rebondissent contre un obstacle. Dans ce cas, l'auditeur entend le même son dans un très court espace de temps. Par exemple, dans une grande enceinte, comme une église, le son rebondit contre les murs et le toit, produisant ainsi une réverbération.
- **Echo.** Lorsque la surface réfléchissante est grande et que la source du son se trouve à plus de trente mètres environ de cette surface, la réflexion s'entend comme un écho.
- **Interférence.** Lorsque les ondes sonores de deux fréquences proches se combinent, elles produisent une onde nouvelle et des variations régulières dans la sonorité. Nous percevons ces variations comme des bruits désagréables.

Lorsque la source d'un son est en mouvement, la fréquence (qui donne la hauteur) du son se voit affectée de la manière suivante:
- Lorsque la source s'approche rapidement d'un auditeur, la fréquence augmente ainsi que la hauteur du son, car les ondes sonores s'additionnent.
- Lorsque la source s'éloigne d'un auditeur, la fréquence et la hauteur diminuent, car les ondes s'étirent.

Les sons des instruments de musique

- **A percussion** (tambour, cymbale). En frappant avec des baguettes ou d'autres objets appropriés les parties métalliques ou couvertes de plastique, de peau, etc. de l'instrument, celles-ci vibrent et génèrent un son.
- **A corde** (violon, guitare). Le corps de l'instrument agit comme une caisse de résonance, en vibrant à la même fréquence que le son fondamental de la corde, mais de façon amplifiée. Un nombre de fréquences plus ou moins grand résonne en fonction de la forme du corps. La hauteur du son dépend également des propriétés de la corde (grosseur, longueur, tension).
- **A vent** (flûte, trompette). Dans ce cas, le son provient d'une colonne d'air vibrante où celui-ci acquiert la forme d'une onde stationnaire, avec des noeuds alternatifs (dans lesquels l'air est stationnaire) et des ventres (dans lesquels l'air vibre au maximum). Les notes les plus hautes sont produites par les compressions les plus fortes, et en débouchant alternativement les trous ou en appuyant sur les clés de l'instrument, on parvient à diminuer ou allonger la colonne d'air.

Le **diapason** est un instrument métallique en forme de fourche qui, si on le frappe, vibre et produit un son (le «la» de référence). On l'utilise pour accorder les instruments de musique, car la vibration de tous ses points est harmonieuse et claire.

Le stéthoscope

Les stéthoscopes sont des instruments qui amplifient les sons et qui sont utilisés par les médecins pour ausculter le cœur, les bronches et les poumons. Grâce aux étapes suivantes, il te sera très facile d'en fabriquer un modèle très semblable aux vrais.

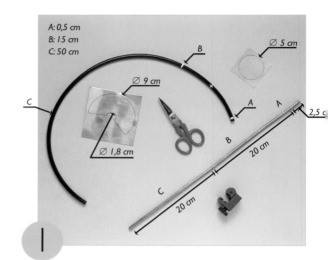

A: 0,5 cm
B: 15 cm
C: 50 cm

∅ 5 cm

∅ 9 cm

B

C

∅ 1,8 cm

A A

2,5 c

B

20 cm

C

20 cm

Objectifs

- Étudier les phénomènes de la percussion et de l'auscultation.
- Comparer différents instruments de percussion et les sons qu'ils peuvent produire.
- Connaître l'origine et le fonctionnement de cet instrument médical, le stéthoscope.

• Tube en cuivre déformable (recuit) de 42,5 cm de long x 0,6 cm de diamètre extérieur
• Tube de caoutchouc noir de 65,5 cm de long x 0,8 cm de diamètre ext. et 0,5 cm de diamètre intérieur
• Fine feuille de laiton carrée de 10 cm de côté
• Mince membrane en peau de porc, de 6 cm de côté (le matériau dont on se sert pour les tambours)
• Fil de fer de 10 cm de long et 1,5 mm d'épaisseur
• Embouts auriculaires en caoutchouc (écouteurs)
• Pince
• Coupe-tubes
• Ciseaux
• Super-glue
• Peinture gris argenté
• Gros pinceau
• Crayon
• Règle
• Compas
• Bol

1

Sur la feuille de laiton et le morceau de peau de porc, dessine et coupe les pièces de la capsule de résonance de ton stéthoscope. Divise les tubes de caoutchouc et de cuivre en trois morceaux chacun, et perce le trou indiqué sur le caoutchouc.

2

Ajuste le morceau A du tube de caoutchouc sur le morceau A du tube en cuivre, et forme un tronc de cône avec la feuille de laiton.

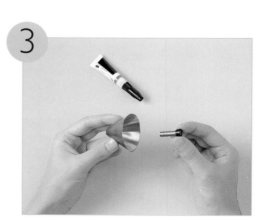

3

Introduis la pièce ci-dessus par la base la plus large du cône et fais-la ressortir par le trou. Fixe la partie qui reste à l'intérieur du cône avec un peu de colle.

Plonge durant quinze minutes le morceau de peau de porc dans un bol rempli d'eau, puis colle-le à la base du cône. Il est important de le coller lorsqu'il est encore un peu humide, ainsi lorsqu'elle sera sèche, la peau se contractera et restera tendue.

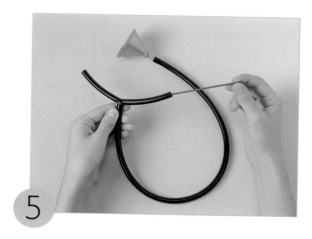

Peins le cône de la capsule en gris argenté et introduis-le à une extrémité du morceau C du tube en caoutchouc. Colle l'autre extrémité au trou que tu as fait dans le morceau B du tube en caoutchouc et insère dedans un fil de fer.

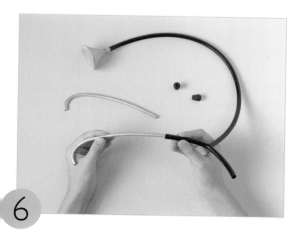

Avec une pince, plie une extrémité des tubes en cuivre B et C, de façon que les embouts auriculaires s'adaptent à tes oreilles. Peins les tubes en gris argenté et ajustes-en un à chaque extrémité du tube en caoutchouc B. Pour finir, place les embouts auriculaires.

Avec ton « stétho », tu pourras écouter toutes sortes de sons. Peut-être est-ce la première étape qui te conduira ensuite à devenir un grand médecin !

Savais-tu que...

le stéthoscope a été inventé en 1816 ?
Le médecin français Laennec a observé qu'en plaçant le bout d'un cahier enroulé sur la poitrine d'un patient et en approchant son oreille à l'autre bout, les battements étaient beaucoup plus audibles. À partir de cette constatation, il construisit le premier stéthoscope à l'aide de tubes en bois.

Une petite flûte de Pan

Les flûtes de Pan sont des instruments de musique à vent, formés par des tubes de longueur différente : les longs produisent les sons graves, et les courts les sons aigus. Tu aimeras sûrement construire une petite flûte que tu pourras emporter dans ta poche !

Objectifs

- Percevoir et distinguer les diverses sensations, qualités et nuances acoustiques.
- Différencier les sons graves des sons aigus.
- Découvrir l'importance de la longueur et du diamètre des cannes de bambou pour les assembler et donner une note à chacune.

- *Deux cannes de bambou de 2 m de long x 0,8 cm de diamètre*
- *Canne de bambou de 7 cm de long x 1,1 cm de diamètre extérieur*
- *Fil de lin mercerisé n° 2 de 2 m de long*
- *Trois limes (rondes de 0,5 cm de diamètre, carrée de 0,4 cm de côté, et demi-ronde)*
- *Papiers de verre à grains fin et gros*
- *Scie à découper*
- *Mastic pour bois de couleur claire*
- *Colle blanche*
- *Ciseaux*
- *Mètre en ruban*
- *Feutre noir*

DO - 9,4 cm
RE - 9 cm
MI - 7,8 cm
FA - 7,3 cm
SOL - 6,5 cm
LA - 6,1 cm
SI - 5,7 cm

1

Sélectionne et coupe sept morceaux des grandes cannes de bambou, en suivant les mesures indiquées. Tu dois faire en sorte que les nœuds servent d'extrémité aveugle à chaque morceau.

2

Vide et arrondis à l'aide de la lime ronde, puis avec la carrée, l'intérieur de chaque morceau de bambou jusqu'à leur extrémité aveugle (nœud), de manière que le diamètre intérieur soit de 0,6 cm.
Si tu troues le nœud d'extrémité avec la lime, tu peux le boucher avec un peu de mastic à bois.

Pour accorder la note de chaque tube, polis avec du papier de verre à gros grain l'extrémité ouverte de chaque canne et termine avec du papier de verre à grain fin. Tu peux prendre comme modèle un instrument accordé.

3

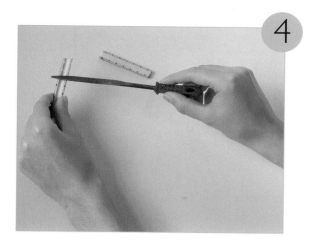

4 Divise dans le sens de la longueur la plus grosse canne, vide les deux moitiés et, dans chacune, réalise avec la lime demi-ronde sept entailles, séparées chacune d'1 cm ; elles serviront à placer les sept tuyaux de la flûte.

5 Pose et colle chaque tuyaux dans les entailles d'une des moitiés de la grosse canne et place l'autre moitié par-dessus. Souviens-toi que les tuyaux les plus longs (sons graves) doivent être à gauche et les plus courts (sons aigus) à droite.

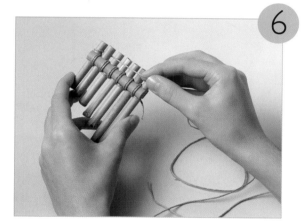

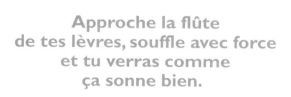

6 Afin de mieux maintenir les tuyaux, passe un fil de lin, comme tu peux le voir sur la photographie.

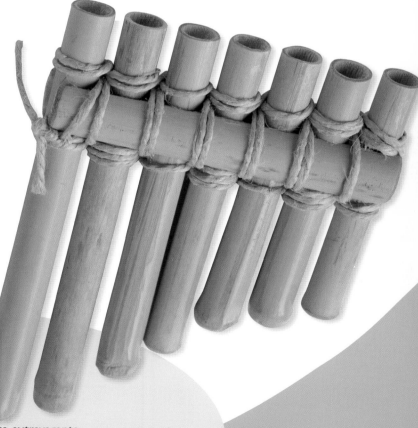

Approche la flûte de tes lèvres, souffle avec force et tu verras comme ça sonne bien.

Savais-tu que...

Pan était un dieu pastoral de la mythologie grecque ? Il semble que son nom provienne du fait que « tous » (pan) s'amusaient de son allure extravagante (cornes, queue et pieds de chèvre), et qu'il était toujours en train de jouer de la flûte en cannes de bambou.

Mon premier tourne-disque

Un tourne-disque est un appareil composé d'un plateau tournant, d'un bras doté d'une aiguille et d'un amplificateur connecté à un ou plusieurs haut-parleurs. Celui que tu vas construire maintenant devrait te permettre d'écouter de vieux disques en vinyle.

Objectifs

- Étudier les origines et l'évolution des tourne-disques.
- Comparer le fonctionnement du phonographe, du gramophone et du tourne-disque.

- *Planche d'aggloméré de 40 cm de long x 30 cm de large, et 10 mm d'épaisseur*
- *Plaque de contreplaqué de 56 cm de long x 40 cm de large, et 3 mm d'épaisseur*
- *Carton gris de 31 cm de long x 19,5 cm de large, et 1,5 mm d'épaisseur*
- *Fine feuille d'aluminium carrée de 5 cm de côté*
- *Trois baguettes en bois : une de 14 cm de long x 0,6 cm de diamètre, une autre de 2 cm de long x 1,5 cm de diamètre, et une troisième de 24 cm de long x 0,4 cm de diamètre*
- *Tasseau en bois de 6 cm de long x 3 cm de large, et 15 mm d'épaisseur*
- *Morceau de liège carré de 5 cm de côté, et 40 mm d'épaisseur*
- *Deux cylindres en liège : un de 4 cm de haut x 2 cm de diamètre, et l'autre de 1 cm de haut x 3,8 cm de diamètre*
- *Feuille de caoutchouc noire et carrée, de 30 cm de côté et 2 mm d'épaisseur*
- *Papier parcheminé de 30 cm de long x 20 cm de large*
- *Poulie en laiton de 0,8 cm de diamètre extérieur et ajustable à un axe de 2 mm*
- *Cordon élastique de 32 cm de long*
- *Petit moteur*
- *Bouton-poussoir*
- *Câble électrique souple*
- *Boîtier à deux piles de 1,5 V (R14)*
- *Deux piles de 1,5 V (R14)*
- *Épingle à tête*
- *Colle blanche*
- *Scie à découper*
- *Papier de verre à grains fins*
- *Ciseaux*
- *Compas*
- *Règle*
- *Pinceaux fin et gros*
- *Peintures noire, gris argenté, gris foncé métallisé et beige clair*

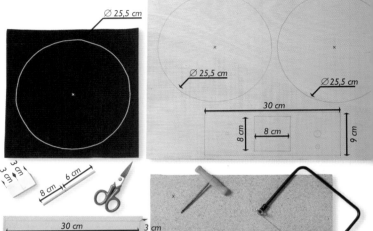

1 Dessine et découpe dans le contreplaqué, le carton gris et le caoutchouc les pièces qui formeront ton tourne-disque. Divise la latte et la baguette de 14 cm de long, fais les trous indiqués sur les pièces découpées et la planche d'aggloméré

2 Après avoir fait les trous dans la pièce et les cylindres en liège, peins les pièces aux couleurs que tu vois sur la photographie.

Colle les tasseaux en bois sur la partie gris argenté de la base, à 3,5 cm de chaque extrémité. Colle perpendiculairement la baguette de 6 cm dans le trou latéral de la base, et celle de 8 cm dans le trou central.

Pour réaliser le support du plateau tournant, fais un trou dans le centre du carré d'aluminium et insère-le par la baguette centrale, après avoir passé la pièce en liège.

Construis la poulie qui servira de plateau tournant : ponce en biais au papier de verre le bord des deux cercles de contreplaqué, colle-les entre eux et peins-les ensuite en gris métallique sombre. Une fois secs, colle sur une des faces de la poulie le cercle de caoutchouc.

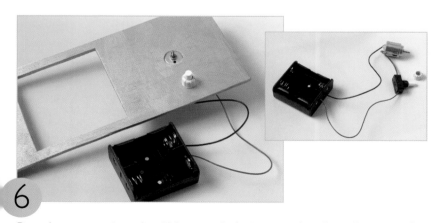

Pour les connexions, le câble noir du boîtier à piles doit aller à une borne du moteur et le rouge à un terminal du bouton-poussoir. Avec un petit morceau de câble électrique, connecte les autres terminaux du moteur et du bouton-poussoir. Fixe le moteur et le bouton-poussoir dans les trous du rectangle de contreplaqué.

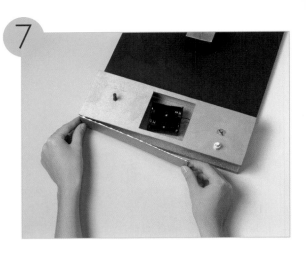

Pour la petite boîte des connexions,
introduis par la baguette latérale
le rectangle de l'étape précédente
et colle-le sur les lattes. Fixe autour
les quatre bandes de carton.

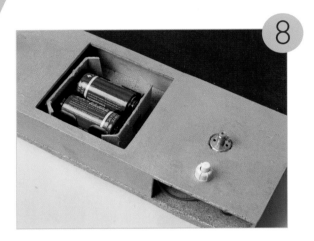

Fixe le boîtier à piles au centre de la fenêtre carrée
de la petite boîte, en collant les deux pièces en carton
que tu n'as pas peintes, avec les extrémités pliées
et un trou dans l'une d'elles pour passer les câbles.

Pour faire le couvercle de l'ouverture de la
boîte, colle les carrés de contreplaqué et de
carton, et par-dessus celui-ci colle le morceau
de bois rond, qui servira de poignée.

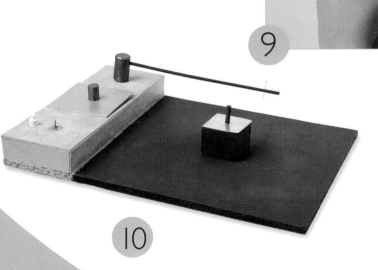

Pour construire le bras du tourne-disque, introduis le cylindre
en liège sur la tige qui dépasse de la boîte des connexions et fixe
sur un côté de ce cylindre une extrémité
de la grosse baguette. À un centimètre de l'autre
extrémité, cloue perpendiculairement
une aiguille.

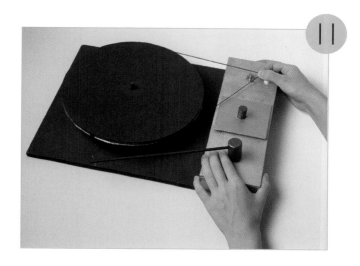

II Ajuste la poulie en laiton sur l'axe du moteur, place le plateau tournant sur son support, et relie-les par l'anneau de caoutchouc.

I2 Enfin, fabrique le haut-parleur : forme un tronc de cône avec du papier parcheminé et colle sur la partie étroite un cercle du même matériau avec un petit trou au centre, qui servira à fixer le haut-parleur sur l'aiguille du bras du tourne-disque.

Vérifie que ton disque tourne dans le sens des aiguilles d'une montre, et écoute ta musique préférée.

Savais-tu que...

l'on a construit, en 1856, une machine appelée « phono-autographe », qui traçait des ondes sonores sur un tambour noirci à la fumée et qui permettait de faire des enregistrements mais sans pouvoir les reproduire ? Fin 1877, Edison inventa le phonographe, qui servait à enregistrer et reproduire des voix et de la musique avec des sons audibles.

Une harpe

Une harpe est un instrument de musique formé de 46 cordes de longueurs différentes, placées verticalement sur une seule rangée. Construis toi-même une harpe plus petite avec des cordes en nylon.

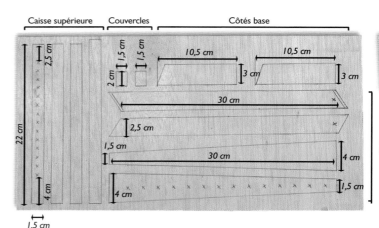

Objectifs

- Distinguer et nommer les différentes sortes d'instruments (à percussion, à corde, à vent…)
- Comparer les instruments à cordes anciens et modernes : cithare, clavecin, clavicorde, luth, harpe, lyre, violon, guitare, etc.
- Étudier les propriétés d'une caisse de résonance.

• Plaque de contreplaqué de 45 cm de long x 24 cm de large, et 3 mm d'épaisseur
• Fin placage de cèdre de 45 cm de long x 24 cm de large
• Pièce de liège de 12 cm de long x 6 cm de large, et 30 mm d'épaisseur
• Bande de caoutchouc adhésif de 48 cm de long x 0,8 cm de large, et 3 mm d'épaisseur
• Fil de nylon de 3 m de long
• Deux baguettes en bois : une de 27,5 cm de long x 1 cm de diamètre et l'autre de 8 cm de long x 0,5 cm de diamètre
• Trois pointes en acier doux : une de 33 mm de long et deux de 18 mm de long
• Colle blanche
• Peinture dorée
• Pinceaux fin et gros
• Râpes à bois
• Scie à découper
• Aiguille
• Marteau
• Vrille
• Ciseaux
• Pince

Recouvre une face du contreplaqué avec le placage de cèdre et dessine sur l'autre face les pièces de la harpe. Découpe-les, fais les trous, et divise la fine baguette et le caoutchouc adhésif. Peins les couvercles de la boîte supérieure et du corps sonore, le liège, les baguettes et les côtés de la base.

1

Colle la longue bande de caoutchouc adhésif au centre de la pièce large du corps sonore et pour former celui-ci, colle entre elles les longues pièces (à l'exception du couvercle que tu colleras après avoir passé les cordes). Construis la caisse supérieure, en fixant l'autre bande de caoutchouc à la latte percée de trous et colle entre elles les trois autres pièces. Ne colle pas non plus tout de suite son couvercle.

2

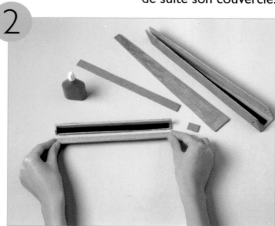

Après avoir collé les deux pièces de contreplaqué sur la base en liège, colle la partie la plus large du corps sonore. Fixe par-dessus la caisse supérieure et lime une extrémité de la grosse baguette pour qu'elle s'emboîte bien.

3

4

Pour faire les trous dans les baguettes qui tiendront les cordes, cloue et décloue une pointe centrée dans chaque baguette, et une à chaque extrémité du morceau le plus long.

Pour réaliser les chevilles, introduis le long morceau de baguette par les trous latéraux du corps sonore et cloue à l'extrémité qui dépasse le plus une longue pointe, et une courte à l'autre extrémité.

5

6

Insère une extrémité du fil de nylon dans le trou de la petite baguette et fais un nœud. Avec une aiguille, passe le reste du fil par tous les trous, de haut en bas, en le tendant à chaque tour et en enroulant le surplus à la cheville.

Colle les couvercles, cloue une autre pointe (l'arrêt) à la base et commence à jouer.

Savais-tu que...

l'origine de la harpe est très ancienne ? Il semble que pour sa construction, on se soit inspiré de l'arc en lui ajoutant des cordes. Sur les monuments les plus anciens de la civilisation égyptienne, on peut voir des peintures qui représentent cet instrument.

Une boîte à musique

Tu as certainement déjà vu de nombreuses petites boîtes à musique très différentes les unes des autres, mais tu ne pensais sans doute pas que tu pourrais en construire une toi-même. En voici une en forme de malle dont le mécanisme est très simple.

Objectifs

- Découvrir un mécanisme capable de produire des sons musicaux.
- Apprécier différentes sonorités.

- Carton gris de 40 cm de long x 35 cm de large, et 1,5 m d'épaisseur
- Petit carton de 250 g/m² de 16 cm de long x 10,5 cm de large
- Papier de couleur marron de 60 cm de long x 50 cm de large
- Deux pièces de contreplaqué de 3 mm d'épaisseur : une de 9,5 cm de long x 7 cm de large, et une autre de 3 cm de long x 1 cm de large, avec deux trous de 0,4 cm de diamètre
- Placage de balsa de 5 cm de long x 3,5 cm de large, et 1 mm d'épaisseur
- Placage de pin de 26 cm de long x 24 cm de large
- Deux tasseaux en bois : une de 6 cm de long x 2 cm de large, et 10 mm d'épaisseur ; et l'autre de 6 cm de long x 1 cm de large
- Tige en laiton de 11 cm de long x 0,4 cm de diamètre
- Cylindre en liège de 5 cm de long x 3 cm de diamètre, avec un trou de 0,4 cm de diamètre
- Tournevis cruciforme (n° 4)
- Aiguilles avec tête
- Scie à découper
- Scie à métaux
- Cutter
- Vrille
- Ciseaux
- Colle blanche
- Crayon
- Règle

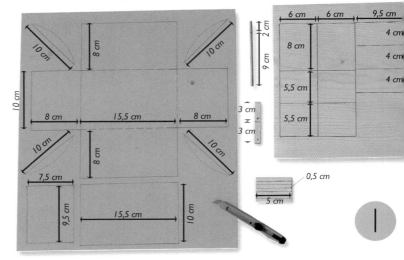

1 Sur le carton et les placages, dessine et découpe, en suivant les lignes continues, les pièces qui serviront à monter la malle. Divise la latte et la tige en laiton, et perce les trous indiqués.

2 À l'aide du *cutter*, réalise une rainure (sans couper) sur les lignes discontinues de la figure de la malle. Recouvre avec du papier marron ce qui formera l'intérieur et monte-le.

Recouvre également l'extérieur de la malle et décore-le avec les pièces de placage, comme tu peux le voir sur la photographie. Souviens-toi que sur un côté, le trou du placage doit coïncider avec celui de la boîte. **3**

Pour le couvercle de la malle, colle les quatre arcs sur le rectangle en carton, comme tu peux le voir sur la photographie. Colle le petit carton sur cette structure, recouvre-la, décore-la avec trois bandes de placage et fixe-la à la malle. Recouvre également la séparation et place-la à l'intérieur.

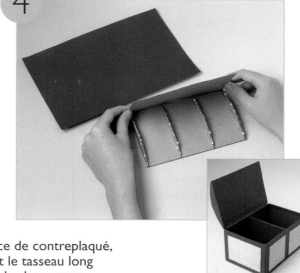

Sur la grande pièce de contreplaqué, colle obliquement le tasseau long et fixe par-dessus les languettes avec une séparation entre elles de 1 mm ; elles donneront les notes de la gamme. Colle aussi les deux petits tasseaux percés.

Introduis ce montage dans la malle et passe par son trou latéral la longue tige en laiton et le cylindre en liège, de façon que celui-ci soit entre les tasseaux percés. Pour la manivelle, insère l'extrémité de la baguette qui reste dehors dans un trou de la petite pièce de contreplaqué et dans l'autre trou, place la tige courte en laiton.

Cloue, comme tu veux, les aiguilles dans le cylindre en liège et tu pourras actionner la manivelle. Les aiguilles feront alors vibrer les lamelles qui produiront des sons.

Savais-tu que...

le carillon mécanique fut le prédécesseur des petites boîtes à musique ? Il semblerait que les premières boîtes à musique furent construites par un horloger de Genève, en 1796, et qu'elles comportaient un mécanisme formé d'un cylindre à ergots.

La boîte à sons

Cette fois-ci, nous te proposons de construire une boîte produisant des effets sonores et d'étudier les sons correspondant au frôlement de différents matériaux.

Objectifs

- Se familiariser avec les sons que produisent différents matériaux.
- Comparer les sons et essayer de mettre en rapport ceux produits par la boîte et ceux de la vie réelle.
- Étudier l'importance des effets sonores dans le domaine cinématographique et théâtral.

- Carton gris de 67 cm de long x 35 cm de large, et 1,5 mm d'épaisseur
- Carton gris de 26 cm de long x 24 cm de large, et 3 mm d'épaisseur
- Pièce de liège carrée de 10 cm de côté et 10 mm d'épaisseur
- Baguette en bois de 11 cm de long x 1 cm de diamètre
- Fil de fer fin de 60 cm de long
- Crin artificiel (ou filaments en plastique)
- Carrés de 8,5 cm de côté de différents matériaux (bristol à texture de toile de jute, grillage en aluminium, papier sulfurisé et lamelle de laiton)
- Peintures noire, blanche, rouge, orangée et verte
- Pinceaux fin et gros
- Scie à découper
- Cutter
- Vrille
- Pince
- Ciseaux
- Crayon
- Règle
- Compas
- Colle blanche

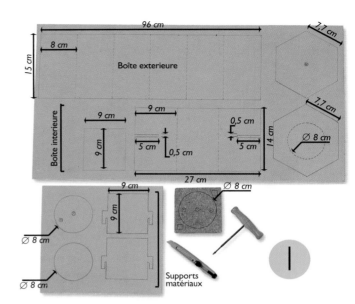

Dessine les pièces de la boîte aux effets sonores, découpe-les en suivant les lignes continues et effectue juste une entaille à l'aide du *cutter* sur les pontillés.

2 Pour monter la boîte extérieure (hexagonale), plie la pièce en carton par les rainures et colle-la sur l'hexagone avec le cercle. Peins l'extérieur de la boîte de plusieurs couleurs et l'intérieur en noir.

3 Construis la boîte intérieure (carrée) en pliant l'autre pièce en carton par ses rainures. Colle sur sa partie arrière le carré de carton et sur la partie avant l'autre hexagone au petit trou. Peins la boîte entière en noir.

Divise la baguette en deux morceaux de 2 cm et deux de 3,5. Peins un des petits morceaux en noir (manivelle) et les autres en vert, ainsi que les supports et les cercles de carton et de liège. Lorsque tout est sec, colle le cercle sans trou centré sur la partie arrière de la boîte.

Dans le trou de l'hexagone de la boîte intérieure, mets la petite baguette verte et place à l'intérieur le cercle en liège et à l'extérieur celui en carton. Fixe la manivelle dans le trou latéral de celui-ci.

Pour les balayettes, colle à une extrémité de chaque grande baguette un petit carré en liège et fixe des morceaux de fil de fer sur l'un, et du crin artificiel sur l'autre. Place les balayettes dans les trous latéraux du cercle en liège. Sur chaque face des supports, colle un matériau différent.

Place un support à l'intérieur de la boîte, ferme-la et tourne la manivelle. Si tu fabriques divers supports et baguettes, tu pourras expérimenter des sons différents.

Savais-tu que...

lorsque les ondes sonores arrivent au tympan, celui-ci fait vibrer d'autres parties de l'oreille? De cette façon, la vibration se transforme en stimulus nerveux et parvient jusqu'au cerveau, où sont traités les sons perçus.

Un porte-voix

Pour être entendu de très loin, on utilise en général un porte-voix ou un mégaphone, instrument qui amplifie la voix. Construis-en un qui fonctionne grâce aux vibrations produites par la voix sur un papier d'aluminium et qui font que celui-ci est en contact avec une bande de cuivre fermant le circuit électrique et mettant en marche le haut-parleur.

Objectifs

- Étudier les caractéristiques du son (intensité, hauteur et timbre) et sa propagation.
- Percevoir les vibrations que produisent les sons.
- Tester sa voix et ses particularités.

- Planche d'aggloméré de 24 cm de long x 15 cm de large, et 10 mm d'épaisseur
- Plaque de contreplaqué de 33 cm de long x 29 cm de large, et 3 mm d'épaisseur
- Tasseau en bois de 42 cm de long x 1 cm de large
- Carton gris de 16,5 cm de long x 8 cm de large, et 3 mm d'épaisseur
- Bande de petit carton de 250 g/m² de 32 cm de long x 15 cm de large
- Tube en carton de 12,5 cm de long x 3,5 cm de diamètre extérieur
- Fine bande de cuivre de 27 cm de long x 0,5 cm de large
- Petit grillage d'aluminium de 32 cm de long x 20 cm de large
- Papier d'aluminium de 13 cm de long x 8 cm de large
- Ruban adhésif d'aluminium de 40 cm de long
- Ruban adhésif en plastique de couleur gris métallisé de 12 cm de long
- Bouton-poussoir normalement ouvert (N/A)
- Haut-parleur de 8 W et 5 cm de diamètre
- Ruban adhésif à deux faces
- Câble électrique souple
- Tube de caoutchouc noir, de 30,5 cm de long x 0,6 cm de diamètre extérieur et 0,4 cm de diamètre intérieur
- 16 pointes de 18 mm de long
- Contacteur à pressions pour piles de 9 V avec câble bipolaire de 16 cm de long
- Peintures verte, noire, gris argenté et gris foncé métallisé
- Pinceaux fin et gros
- Scie à découper
- Super-glue
- Vrille
- Marteau
- Ciseaux
- Colle blanche
- Compas
- Crayon
- Règle
- Pile de 9 V

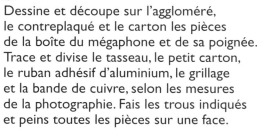

1

Dessine et découpe sur l'aggloméré, le contreplaqué et le carton les pièces de la boîte du mégaphone et de sa poignée. Trace et divise le tasseau, le petit carton, le ruban adhésif d'aluminium, le grillage et la bande de cuivre, selon les mesures de la photographie. Fais les trous indiqués et peins toutes les pièces sur une face.

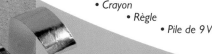

2

Monte la boîte du mégaphone avec la base, le couvercle, les côtés et une des parois arrière. Utilise des pointes et un marteau afin de bien fixer les pièces.

3

Introduis le bouton-poussoir dans le trou de la partie inférieure d'un des côtés, et colle le haut-parleur sur la paroi avant de la boîte du mégaphone.

4

Plie les bandes de cuivre de 8 et 10 cm de long afin d'obtenir les supports de la pile, et fixe-les sur le côté du bouton-poussoir.

Fixe les autres bandes de cuivre (contacts) sur les parois arrière : celle de 6 cm de long sur le couvercle de la boîte et celle de 3 cm à sa base. Donne-leur la forme que tu vois sur la photographie et fixe-les bien avec une pointe, que tu ne dois pas clouer entièrement afin de pouvoir faire ensuite les connexions.

5

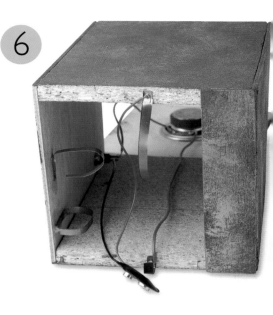

Coupe deux morceaux de câble électrique, un de 25 cm et l'autre de 20. Connecte le premier à une borne du haut-parleur et à la pointe du petit contact, et le second à l'autre borne du haut-parleur et au bouton-poussoir. Termine de fixer les pointes et connecte le câble rouge du contacteur à pressions des piles à la pointe du contact long et le noir à l'autre borne du bouton-poussoir.

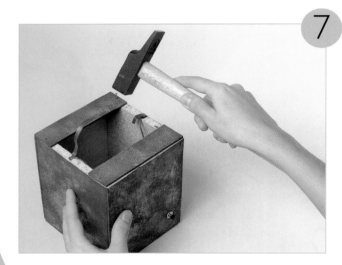

Après avoir connecté la pile au contacteur à pressions et l'avoir installée sur ses supports, termine de monter la boîte en clouant la paroi avant et la paroi arrière qui manquait.

Pour construire le manche du mégaphone, colle le rectangle de carton sur la partie inférieure de la base de la boîte ; colle perpendiculairement le tube et bouche-le avec un petit cercle en carton.

Assure-toi que le porte-voix fonctionne ; en cas contraire, ajuste les bandes de cuivre de façon à ce qu'elles soient en contact avec le papier d'aluminium. Parle et on t'entendra de très loin !

9 Colle les lattes de bois entre elles et fixe par-dessus, avec un ruban adhésif d'aluminium, un morceau de papier d'aluminium bien tendu et la grille rectangulaire. Cette pièce ira entre les deux parois arrière, en faisant contact avec les bandes de cuivre.

10 Pour le protecteur du haut-parleur, forme un cône avec le petit carton, recouvre-le avec le grillage d'aluminium et réunis ses extrémités avec le ruban adhésif de plastique. Ajuste au bord du côté large le tube de caoutchouc et colle son extrémité étroite à la paroi avant de la boîte du mégaphone.

Savais-tu que...

le mégaphone fut perfectionné par le physicien et inventeur nord-américain Thomas A. Edison ? Le même Edison qui travailla à perfectionner d'autres instruments tels le téléphone ou le microphone. Il fut également le créateur d'importants appareils électriques, comme la lampe à incandescense.

ORIENTATIONS DIDACTIQUES

Ce volume contient une série d'orientations didactiques visant à faciliter le travail des éducateurs (parents ou professionnels de l'éducation) qui aident les enfants à mener à bien les différents montages. Ces travaux pratiques apportent des instructions qui, « étape par étape », conduisent au but et/ou à l'objectif final préétabli. Avant d'entreprendre un projet, il est important de consacrer un certain temps de réflexion à ce que l'on va réaliser ; chacune des étapes à suivre sera ainsi plus aisée à concrétiser.

Ainsi, nous pouvons commencer par nous demander :
• Quel type de projet allons-nous réaliser (image, son…) ?
• Avec quels matériaux allons-nous travailler (bois, carton, métal, miroirs, lentilles…) ?
• À quel moment précis, devons-nous accomplir chacune des étapes, et combien de temps faudra-t-il pour les réaliser (établir à l'avance l'ordre et le temps de chacune) ?
• Au cas où un groupe entier réaliserait ledit projet, qui sera responsable de chaque étape ?

Exemple d'organisation simple et coordonnée				
Projet	**Étapes à suivre**	**Groupe**	**Phase initiale**	**Phase finale**
Montage	Énumeration de chaque étape	Responsables	Début du projet	Finalisation
OBSERVATION / EVALUATION DU PROJET				

OBJECTIFS DIDACTIQUES

Lumière
1. Evaluer l'utilité de l'image dans notre société.
2. Analyser le langage visuel.
3. Reconnaître l'importance de l'image dans les médias et son utilité comme instrument de loisir et diffuseur d'événements sociaux.
4. Développer des positions critiques face aux messages visuels que nous recevons ou qui nous sont imposés quotidiennement.
5. Comprendre et donner un sens aux images présentes dans notre environnement.
6. Lire et interpréter différents types d'images.
7. Exprimer des sensations et des sentiments en utilisant les techniques visuelles.
8. Se familiariser avec les appareils vidéo, en les traitant comme des objets quotidiens à utiliser avec soin et respect (appareils photographiques, projecteurs, magnétoscopes…)
9. Étudier l'évolution de ces appareils.
10. Éviter des situations dangereuses en manipulant ces appareils, et estimer les facteurs de risque d'accident.

Son

1. Analyser l'importance du son dans notre société.
2. Énumérer et différencier les divers appareils audio.
3. Découvrir les possibilités sonores de certains objets, et acquérir une sensibilité auditive permettant de caractériser par le son différents matériaux.
4. Distinguer le bruit, le son et le silence.
5. Acquérir une attention auditive afin de comprendre les narrations et autres messages auditifs.
6. Travailler des séries de sons, comme par exemple « Du son le plus grave au plus aigu », « Du plus agréable au plus désagréable », etc.
7. Associer et mettre en rapport à partir d'un stimulus auditif les contrastes fondamentaux : long – court ; aigu – grave ; fort – doux.
8. Percevoir l'influence que peut avoir la musique dans nos actes et états d'âme.
9. Apprendre à utiliser des appareils et des outils sonores quotidiens (appareils de musique et radio…).
10. Éviter des situations dangereuses en manipulant ces appareils, et estimer les facteurs de risque d'accident.

OBJECTIFS GÉNÉRAUX

- **Objectif général**. Stimuler la créativité et l'apprentissage de règles minimales de travail expérimental, de conception et de construction.
- **Objectif spécifique**. Première étape de familiarisation des enfants à la Technologie de façon ludico-créative et « amusante » (selon leur propre vocabulaire).
- **Objectif social**.Les familiariser aussi avec le monde réel, quotidien et social dans lequel ils évoluent au jour le jour.

OBJECTIFS INDIVIDUELS ET/OU PERSONNELS

- Compréhension des différences entre l'image, le son et la réalité.
- Reconnaissance des perceptions visuelles et sonores.
- Analyse du langage des médias.
- Prendre conscience de la nécessité d'utiliser des termes appropriés au langage audiovisuel.
- Lecture, compréhension et interprétation du langage audiovisuel.
- Appréciation des diverses possibilités que les outils audiovisuels nous offrent pour interpréter la réalité selon différentes perspectives.
- Donner l'envie de s'exprimer et de découvrir, à travers ces outils, des aspects personnels et/ou ceux de ses camarades.
- Susciter la curiosité pour la communication audiovisuelle, favoriser la visite d'expositions et/ou l'audition de concerts.
- Conception et projection du montage que l'on souhaite réaliser.
- Organisation du processus de montage et de l'ordre des divers matériaux et composants qui vont être utilisés.
- Construction d'un montage moyennant l'exécution d'exercices de calcul et des mesures correspondantes. Cette partie contient l'acquisition de la maîtrise des instruments nécessaires (règles, compas…).
- Attention dans la recherche de solutions appropriées et de recours éventuels face aux problèmes qui peuvent se présenter.

Grâce à ces travaux pratiques, l'enfant aura la possibilité de réaliser postérieurement d'autres types de montage.

En utilisant une large gamme de matériaux ordinaires, en relation avec l'image et le son, l'enfant apprendra différentes techniques qui rendront possible l'élaboration de projets plus complexes, tant du point de vue de leur élaboration que de leur présentation finale.

Glossaire

Aigu. Son dont le ton est élevé (haute fréquence/faible longueur d'onde).

Amplifier. Augmenter l'amplitude ou l'intensité du son.

Angstroem. Unité de mesure de longueur d'onde valant 1/10.000.000 de mètre.

Astronomie. Science qui étudie les lois des mouvements des astres, et tout ce qui a trait aux corps célestes.

Audible. Qui peut être entendu.

Auditif. Relatif à l'oreille.

Ausculter. Poser l'oreille sur la cage thoracique ou abdominale afin d'explorer les sons produits dans la poitrine ou le ventre. On peut ausculter avec ou sans l'aide d'un stéthoscope.

Bambou. Plante tropicale à haute tige ronde et souple portant à la partie supérieur de petites branches et des feuilles vert clair.

Bourrelet. Bande de caoutchouc mousse placée aux joints des fenêtres et des portes afin d'empêcher le passage de l'air.

Bruit. Son confus et peu clair.

Cheville. Chacune des clés utilisées sur les instruments de musique afin de fixer et/ou de tendre les cordes.

Converger. Lorsque plusieurs choses (lignes et/ou superficies) se dirigent vers un même point et s'y rejoignent.

Densité. Rapport entre la quantité de matière en volume et son poids.

Dioptrie (D). Unité de mesure du pouvoir convergent d'une lentille.

Diverger. Lorsque plusieurs choses (lignes et/ou superficies) s'écartent les unes des autres.

Enregistrer. Mettre en mémoire sur un support matériel une information sonore ou visuelle afin de pouvoir la reproduire et la diffuser.

Étanche/Étanchéité. Qui est très bien fermé et isolé.

Extrémité aveugle. Extrémité fermée d'un objet ou d'un matériau.

Grave. Son au ton bas (faible fréquence/grande longueur d'onde).

Haut-parleur. Appareil qui transforme l'énergie électrique en ondes sonores et élève l'intensité du son.

Illusion d'optique. Image suggérée par la vue, mais qui n'est pas réelle.

Irradier. Lorsqu'un corps répand dans toutes les directions des rayons de lumière ou de toute autre énergie.

Lentille. Verre à face concave ou convexe que l'on utilise généralement dans les instruments d'optique, en particulier pour agrandir.

Longue-vue. Instrument d'optique utilisé pour voir des objets lointains. Il est composé principalement de deux lentilles et d'un tube télescopique.

Manivelle. Levier formant un angle droit qui, uni à un axe, sert à actionner un mécanisme.

Mastic. Pâte plastique à base d'huile de lin et de craie servant à fixer les vitres de façon étanche. Produit de rebouchage et de lissage naturel ou synthétique.

Négatif. Pellicule ou image formée sur la pellicule par l'action de la lumière sur l'émulsion dont les blancs et les noirs sont inversés par rapport à l'image réelle.

Oblique. Ligne ou plan incliné (en biais) par rapport à une autre ligne ou un autre plan.

Olive. Pièce de caoutchouc ou de plastique placée sur la partie supérieure de chacun des deux tubes du stéthoscope, et qui sert d'auriculaire. Elle a un petit trou sur la partie supérieure qui permet au son de parvenir à l'oreille.

Optique. Partie de la physique qui étudie les lois et les phénomènes de la lumière.

Patine. Teinte qui a perdu de son éclat et qui donne un aspect ancien à certains objets. Elle se forme naturellement sur les vieux objets mais peut aussi s'obtenir artificiellement.

Percussions. Instruments de musique dont on joue en les frappant ou en les cognant l'un contre l'autre.

Périmètre. Contour d'une superficie ou d'une figure.

Persistance rétinienne (ou visuelle). Temps durant lequel la rétine conserve l'impression d'une image après que celle-ci est sortie du champ visuel ou que ses rayons aient été coupés ou interceptés, et qui permet de voir en continuité les films cinématographiques. Ce phénomène peut durer environ 1/12e de seconde, raison pour laquelle on considère que le nombre minimal pour la production d'images mobiles d'un film est d'environ 12 par seconde.

Projeter. Envoyer sur un écran une image de diapositive agrandie, ou d'objets opaques…

Radiation. Émission et diffusion de lumière, de chaleur ou de tout autre type d'énergie.

Rebondir. Lorsqu'un corps change de direction en heurtant un autre corps.

Réfléchissant. Qui renvoie la lumière, la chaleur, le son…

Réflexion. En physique, changement de direction ou du sens de la propagation d'une onde.

Résonance. Son produit par la répercussion d'un autre. Également, prolongation d'un son qui va en diminuant peu à peu.

Rétine. Membrane qui se trouve à l'intérieur de l'œil, où les sensations lumineuses se transforment en impulsions nerveuses.

Révéler. En photographie, rendre visible une image latente, imprimée sur un film ou du papier photographique, grâce à un procédé chimique.

Rythme. Ordre de succession des sons en musique, qui dépend de la façon dont se combine la durée des notes de chaque mesure.

Séquentiel. Succession ordonnée de choses en relation entre elles.

Spectre. Ensemble ordonné représentant graphiquement les constituants d'un son variable ou fixe ou d'une radiation électromagnétique (phénomène ondulatoire).

Spectre lumineux. Bande nuancée des couleurs de l'arc-en-ciel, qui provient de la décomposition de la lumière blanche lorsqu'elle traverse un prisme ou tout autre corps réfracteur.

Sténopéique. Technique photographique au moyen de laquelle on peut obtenir des images en interposant juste un orifice très petit (sténopé) entre le film et l'objet photographié.

Sphère. Volume engendré par la rotation d'un cercle autour d'un de ses diamètres. Corps solide limité par une surface courbe dont tous les points sont à égale distance d'un point supérieur appelé centre.

Tr/min. Tours par minute.

Voiler. En photographie, faire disparaître accidentellement une image photographique latente en la soumettant à la lumière.

Vibrations. Suite de petits mouvements alternatifs rapides auxquels est soumis un corps solide, liquide ou gazeux.

Virtuel. Qui paraît réel, mais qui ne l'est pas.